CW00850855

I'm hwyres ieuengaf, Molly
T.M.

Cyhoeddwyd yn gyntaf yn Saesneg yn 2006
gan Orchard Books, 96 Leonard Street, London EC2A 4XD.
dan y teitl *Look Behind you, Oliver!*

Y cyhoeddiad Cymraeg ©2006 Dref Wen Cyf.

Cyhoeddwyd yn Gymraeg 2006
gan Wasg y Dref Wen,
28 Ffordd yr Eglwys, Yr Eglwys Newydd,
Caerdydd CF14 2EA, Ffôn 029 20617860.

Argraffwyd yn China.

Edrycha tu ôl i ti, Tomos!

Tony Maddox

Trosiad Hedd a Non ap Emlyn

DREF WEN

Roedd hi'n ddiwrnod
heulog, braf ar
Fferm Tŷ Isaf.

“Diwrnod gwych i fynd i grwydro!” dywedodd Tomos Tylluan.

"Ga i ddod?" rhochiodd Mic Mochyn.

"Ga i ddod hefyd?" cwaciodd Heulwen Hwyaden.

'A fi hefyd?" gwichiodd Cadi Cyw.

“Na chewch,” atebodd Tomos. “Rydych chi’n rhy fach i adael y fferm. Dw i’n mynd i grwydro ar fy mhen fy hun!”

Paciodd Tomos bopeth roedd e ei angen ar gyfer mynd ar antur, ac i ffwrdd â fe.

“Beth am i ni ei ddilyn e?” sibrydodd Mic, Heulwen a Cadi. “Ond peidiwch â gadael iddo’n gweld ni!”

Wrth i Tomos gerdded ar draws
y cae, daeth haid o wenyn a mwmian …

"Edrycha tu ôl i ti, Tomos!"

Wrth iddo groesi cerrig y nant,
crawciodd y llyffantod …

"Edrycha tu ôl i ti, Tomos!"

Wrth iddo gerddded i mewn
i’r goedwig, canodd yr adar …

"Edrycha tu ôl i ti, Tomos!"

Ond chlywodd Tomos ddim byd –

roedd e’n rhy brysur yn edrych o gwmpas.

Wrth i Tomos gerddded ymhellach i ganol y goedwig, dechreuodd hi dywyllu. Roedd y coed yn dalach ac roedd y cysgodion yn dywyllach.

“Mae’n well i fi fynd ’nôl i’r fferm,” meddyliodd Tomos.

Yn sydyn, sylweddolodd Tomos ei fod e ar goll – doedd e ddim yn gwybod i ba gyfeiriad i fynd. “Dw i ar goll!” criodd. “Sut mae mynd adre?”

Yna, clywodd e rywun yn gweiddi …

"Edrycha tu ôl

i ti, Tomos!"

"Dilynon ni ti, Tomos," eglurodd ei ffrindiau. "Roedden ni eisiau mynd i grwydro hefyd!"

“Dw i mor falch!” gwenodd Tomos. “Achos mae mynd i grwydro gyda ffrindiau yn llawer mwy o hwyl na mynd ar eich pen eich hun!”

Yna, dyma Mic,
Heulwen a
Cadi Cyw…

… yn dangos y ffordd
yn ôl i'r fferm, gan edrych
ar bethau ar hyd y ffordd.

“Diolch yn fawr i chi!” dywedodd Tomos.
“Beth gawn ni chwarae nesa, tybed?”

"Beth am chwarae cuddio!"
chwarddodd pawb.